CHÈRE LECTRICE, CHER LECTEUR,

Nous savons tous que les enfants adorent écouter et lire des histoires, mais aussi en inventer eux-mêmes, et c'est exactement ce que fait Léo, le jeune héros du livre *Le chapeau de M. Zinger.* Un jour, alors que Léo joue au ballon dans le parc, il fait accidentellement tomber le chapeau de M. Zinger. Après avoir récupéré le chapeau, Léo et M. Zinger s'assoient sur un banc pour se reposer, et c'est alors que les histoires de Léo commencent!

Nous sommes heureux de fournir un exemplaire de *Le chapeau de M. Zinger* à chaque élève de première année au Canada dans le cadre de nos efforts en faveur des programmes de lecture et d'alphabétisation des enfants. Nous souhaitons encourager l'imagination et la narration; c'est pourquoi nous espérons que le livre choisi pour cette édition annuelle de la campagne **Un livre à moi TD** divertira et amusera aussi bien les enfants que leurs parents et gardiens.

En plus de partager des histoires avec vos enfants à la maison, pensez à visiter votre bibliothèque locale, où toute la famille pourra découvrir le monde magique des livres.

Bonne lecture !

Bharat Masrani
Président du Groupe et chef de la direction
Groupe Banque TD

Pour en savoir plus sur **Un livre à moi TD** et les autres initiatives de lecture soutenues par la TD, visitez le **www.lecturetd.com**.

CHÈRE LECTRICE, CHER LECTEUR,

Le Centre du livre jeunesse canadien est fier d'être associé avec le Groupe Banque TD pour vous offrir *Le chapeau de M. Zinger*, le choix de cette année pour le programme **Un livre à moi TD**. Une copie de ce livre est offerte à chaque élève de première année au Canada afin qu'il puisse l'apporter à la maison et le lire avec un parent ou quelqu'un de son entourage.

Le chapeau de M. Zinger est l'histoire d'un garçon qui apprend la magie des contes par le biais d'une interaction avec un homme âgé de son voisinage. Nous espérons que les enfants qui liront ce livre seront également inspirés pour écrire leur propre conte.

Vous recherchez d'autres belles lectures ? À la fin de cette histoire, vous trouverez une liste de tous les titres qui ont reçu un prix canadien en 2014, que vous pourrez trouver dans votre bibliothèque locale ou dans une librairie. Pour des informations additionnelles, des ressources ou des programmes qui soutiennent la lecture, veuillez visiter **www.bookcentre.ca/programmes** et **www.lecturetd.com**.

Bonne lecture !

Charlotte Teeple

Charlotte Teeple
Directrice générale
Le Centre du livre jeunesse canadien

LE CENTRE DU LIVRE JEUNESSE CANADIEN

Plus de 500 000 élèves de la première année du pays recevront un livre en cadeau grâce au programme annuel **Un livre à moi TD**. Le livre choisi est toujours issu de la littérature canadienne pour l'enfance. Cette année, les élèves recevront un exemplaire du livre ***Le chapeau de M. Zinger***. Le programme est, depuis l'an 2000, réalisé par le **Centre du livre jeunesse canadien** et entièrement financé par le **Groupe Banque TD**.

Le Centre du livre jeunesse canadien (CLJC) est un organisme pancanadien, à but non lucratif, fondé en 1976. Notre mission est de promouvoir la lecture, l'écriture, et l'illustration de la littérature canadienne pour l'enfance et la jeunesse. Le CLJC offre des programmes, des ressources, du matériel et des activités très appréciés et utilisés par les enseignants, les bibliothécaires, les auteurs, les illustrateurs, les éditeurs, les distributeurs, les libraires et les parents.

Le CLJC publie ***Best Books for Kids & Teens***, une sélection bisannuelle des meilleurs livres, magazines et publications sur support numérique, qui sont publiés en anglais à l'intention des enfants et des adolescents. Chaque année, des centaines de nouveautés sont évaluées et sélectionnées par des jurys pancanadiens. La publication met en lumière les meilleurs livres canadiens à acheter, à emprunter et à lire. C'est une ressource inestimable pour tous ceux et celles qui veulent faire une sélection judicieuse de livres canadiens en anglais pour les jeunes lecteurs. Le ***Canadian Children's Book News*** est un magazine trimestriel qui couvre tous les aspects de l'édition et de la littérature jeunesse de langue anglaise au Canada. Il permet de rester à la fine pointe de l'actualité en littérature pour l'enfance et la jeunesse au Canada.

Le CLJC organise **La Semaine canadienne TD du livre jeunesse**. Il s'agit de la plus importante fête du livre jeunesse au Canada, dans les écoles et les bibliothèques. Chaque printemps, au cours d'une semaine, des auteurs, des illustrateurs, anglophones et francophones, et des conteurs voyagent dans tout le pays — d'un océan à l'autre et jusque dans l'Arctique — pour parler de leurs livres et partager les plaisirs de la lecture avec les jeunes lecteurs. La Semaine canadienne TD du livre jeunesse existe depuis trente-huit ans et elle a stimulé la création de nombreuses activités au pays qui célèbrent la littérature pour la jeunesse et ses créateurs.

Le CLJC coordonne sept **Prix littéraires prestigieux** qui totalisent plus de 135 000 $ de bourses : Le **Prix TD de littérature canadienne pour l'enfance et la jeunesse** pour le livre le plus remarquable de l'année (en français et en anglais) et six autres.

Pour plus d'information sur le Centre du livre jeunesse canadien et le programme Un livre à moi TD, veuillez visiter notre site Internet : **www.bookcentre.ca/programmes**.

Ouvrir aux enfants les portes de la littérature canadienne

Le Centre du livre jeunesse canadien
40, boul. Orchard View, bureau 217
Toronto (Ontario) M4R 1B9
Téléphone : 416 975-0010 Télécopieur : 416 975-8970
Courriel : info@bookcentre.ca

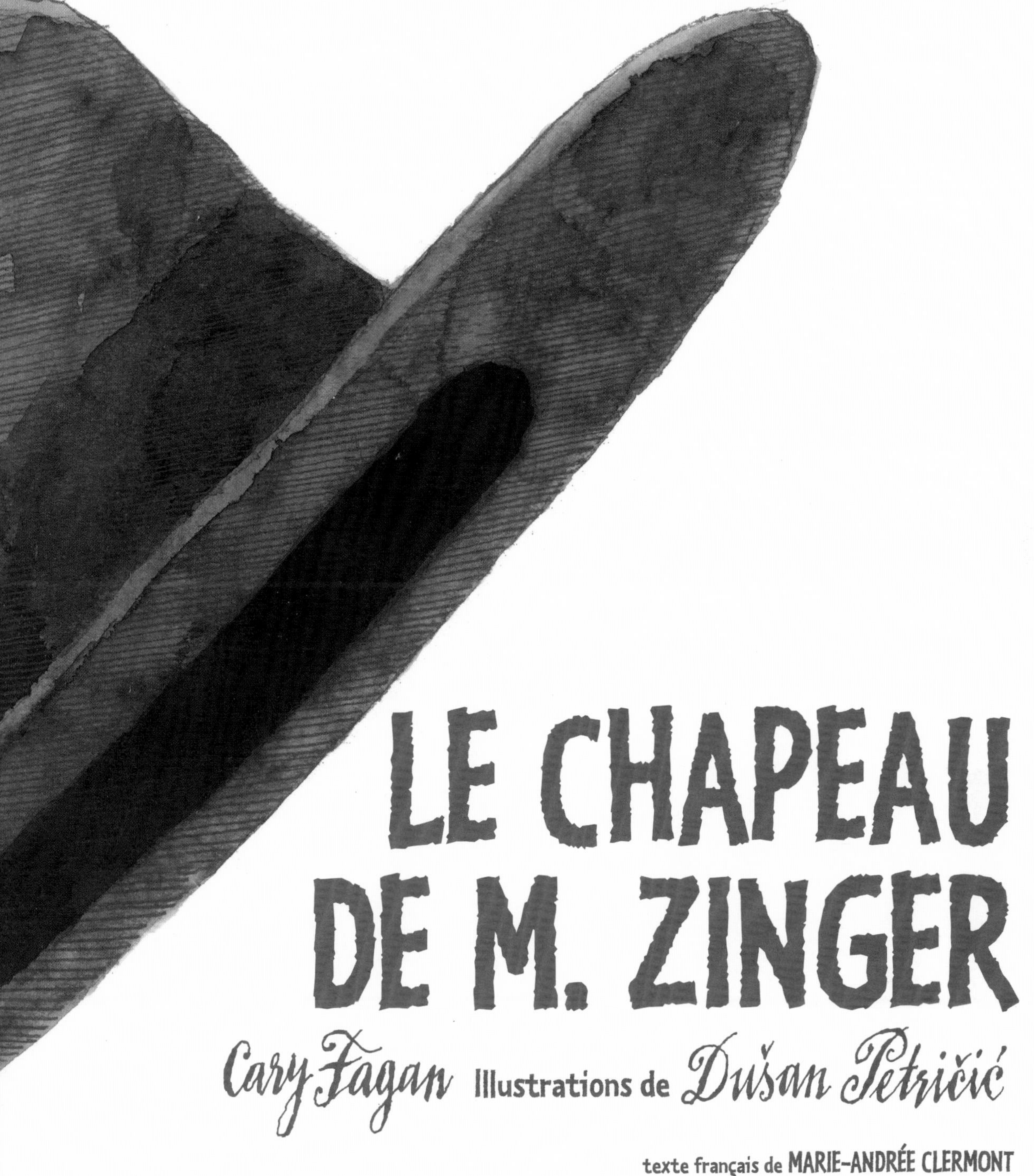

LE CHAPEAU DE M. ZINGER

Cary Fagan Illustrations de Dušan Petričić

texte français de MARIE-ANDRÉE CLERMONT

TUNDRA BOOKS

Édition spéciale réalisée pour le programme *Un livre à moi TD*.

La présente édition, publiée selon une entente spéciale avec le Centre du livre jeunesse canadien et le Groupe Banque TD,
sera distribuée gratuitement à tous les élèves de la première année au Canada.

Sous son titre original anglais *Mr. Zinger's Hat*, cet album a d'abord été publié en 2012 par Tundra Books, une division de Random House of Canada Limited, une compagnie faisant partie de Penguin Random House.

Le Centre du livre jeunesse canadien
40, boul. Orchard View, bureau 217
Toronto (Ontario) M4R 1B9
www.bookcentre.ca

Tundra Books
320, rue Front Ouest, bureau 1400
Toronto (Ontario) M5V 3B6
www.penguinrandomhouse.ca

Imprimé et relié au Canada par Friesens Corporation
Aussi disponible en anglais : *Mr. Zinger's Hat*
ISBN (français) 978-0-929095-51-6
ISBN (anglais) 978-0-929095-49-3

Catalogage avant publication de Bibliothèque et Archives Canada

Fagan, Cary
[Mr. Zinger's hat. Français]
Le chapeau de M. Zinger / une histoire de Cary Fagan ;
illustrations de Dušan Petričić ; texte français de Marie-Andrée
Clermont.

Traduction de : Mr. Zinger's hat.
"Publié selon une entente spéciale avec le Centre du livre jeunesse
canadien et le Groupe Banque TD pour distribution gratuite à
tous les élèves de la première année au Canada".
ISBN 978-0-929095-51-6 (couverture souple)

I. Petričić, Dušan, illustrateur II. Clermont, Marie-Andrée,
traducteur III. Centre du livre jeunesse canadien, organisme de
publication IV. Titre. V. Titre: Mr. Zinger's hat. Français.

PS8561.A375M5914 2015 jC813'.54 C2015-901484-0

Pour David Diamond, qui sait bien écouter et bien raconter. –C.F.

Pour Bogdan Krsic, mon défunt professeur, avec ma profonde gratitude. –D.P.

Chaque jour après l'école, Léo joue au ballon dans la cour. Il le lance haut dans les airs. Le ballon frappe le mur de brique et rebondit vers Léo qui essaie de l'attraper.

Et chaque jour, Léo voit M. Zinger qui se promène autour de la cour, encore et encore. M. Zinger est un vieil homme, pas très grand. Léo trouve qu'il ressemble à un lutin ou à un farfadet. Il porte toujours un chapeau et un habit noirs. Il marche en se traînant les pieds, absorbé dans ses pensées.

M. Zinger compose des histoires. Ses histoires sont publiées dans des magazines, et aussi dans des livres.

— Ne dérange pas M. Zinger, Léo, lui dit souvent sa mère. Il est en train de composer des histoires. Il travaille.

Cet après-midi-là, Léo
lance son ballon plus haut
que toutes les autres fois.
Il monte en flèche, haut
dans les airs, avant de
s'abattre contre le mur.

Le ballon rebondit,
traverse la cour à toute
vitesse et file tout droit
vers M. Zinger !

Le vieil homme ne s'en aperçoit même pas. Il est trop occupé à penser.

Zziiiiiipp ! Le chapeau de M. Zinger est emporté par le ballon.

— Malheur ! Mon chapeau ! s'écrie M. Zinger.

Il essaie de le saisir avec sa main, mais le vent s'en empare et l'envoie voler très haut au-dessus de la cour.

M. Zinger tapote sa tête chauve.

— Jeune homme ! appelle-t-il. Aide-moi à rattraper mon chapeau !

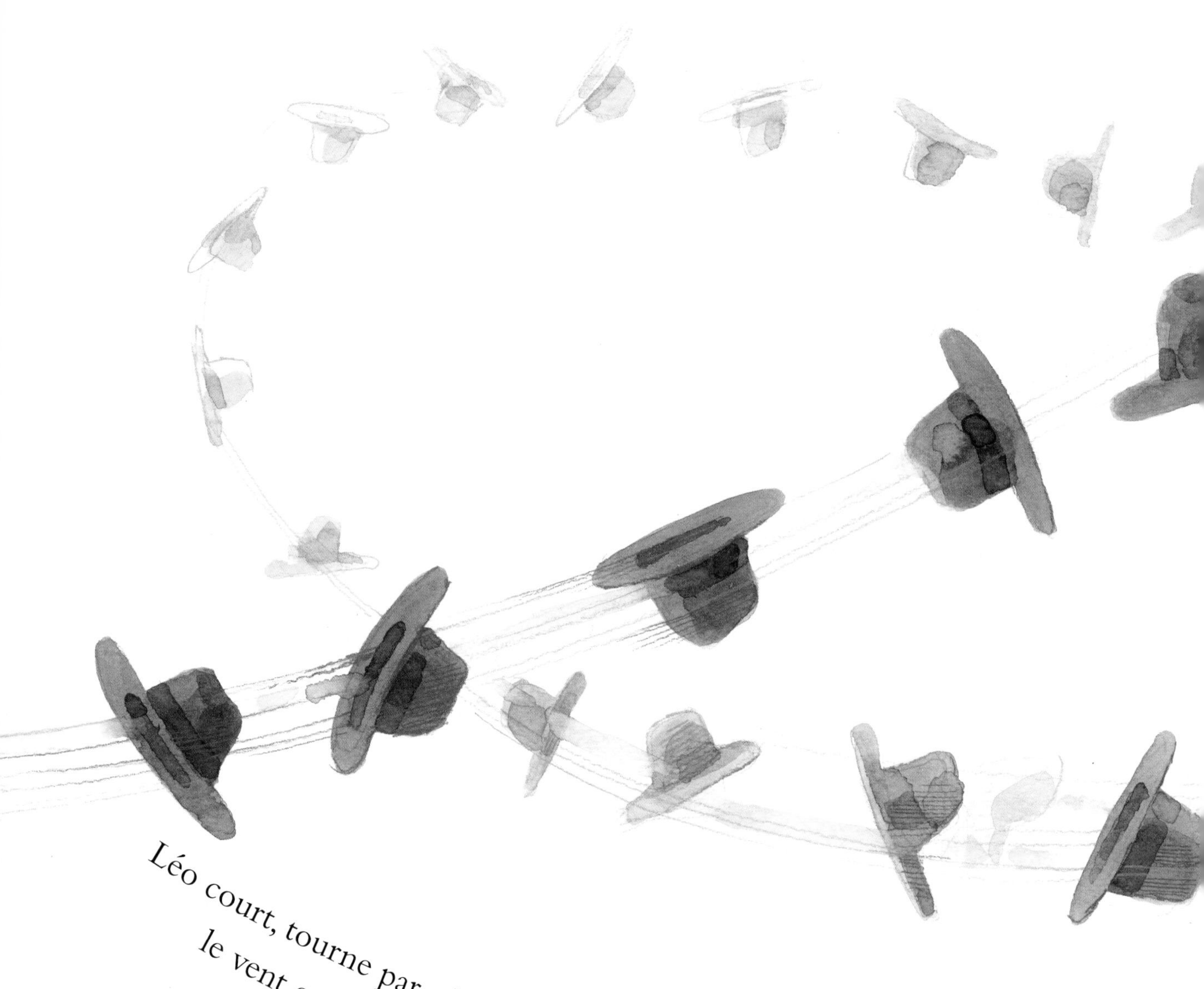

Léo court, tourne par-ci, saute par-là, à la poursuite du chapeau que le vent envoie valser de tous bords tous côtés.

Finalement, le chapeau commence à descendre,
plongeant de plus en plus bas.

Léo tend les mains.

Le chapeau atterrit en plein
sur sa casquette de base-ball.

Léo enlève le chapeau et le redonne à M. Zinger.

— Que d'émotions ! soupire M. Zinger. Tout cela m'a fatigué. Viens, jeune homme. Assoyons-nous sur le banc.

Léo s'assoit donc à côté de M. Zinger.

— Comment t'appelles-tu, jeune homme ?

— Léo.

— Eh bien, Léo, je me demande bien pourquoi mon chapeau s'est envolé comme ça. Peut-être qu'il y a quelque chose à l'intérieur.

M. Zinger examine le dedans de son chapeau.

— Qu'est-ce que c'est ? demande Léo. Qu'est-ce qu'il y a dans le chapeau ?

Il regarde à son tour, mais ne voit rien.

— Ah, je vois maintenant, s'écrie M. Zinger. C'est une histoire. Une histoire qui essaie de s'échapper.

— Quelle histoire ? demande Léo.

—Voyons voir, dit M. Zinger en plongeant ses yeux pâles à l'intérieur du chapeau. Il était une fois un homme.

— Est-ce que ça pourrait être un garçon ? demande Léo.

— Oui, tu as raison – un garçon. Et ce garçon était très pauvre.

— Peut-être bien qu'il était riche, suggère Léo.

— Pourquoi pas ? dit M. Zinger en se grattant la tête. Il était riche. Riche comme un roi, comme un empereur, comme un tzar. Il était aussi très malheureux. Peux-tu voir pourquoi ?

Léo regarde dans le chapeau. Il réfléchit un moment.

— Parce qu'il n'avait rien à faire ?

— D'accord. Alors, un jour, ce garçon fait une proclamation.

— C'est quoi, une proclamation ? demande Léo.

— C'est une annonce officielle. Il va donner la moitié de sa richesse et de sa fortune à l'enfant qui sera capable de lui remonter le moral. Des enfants de partout dans les environs font la queue devant la porte de son manoir, chacun espérant relever le défi et gagner.

— Ça devrait être bon, dit Léo.

— Le premier enfant offre au garçon une montre en or, dit M. Zinger.

— Ennuyeux, dit Léo.

— Le garçon pense la même chose que toi. L'enfant suivant lui apporte…

— Une guitare électrique ?

— C'est ça ! Sauf que le garçon en a déjà une meilleure. Et les autres lui présentent encore tout plein de choses.

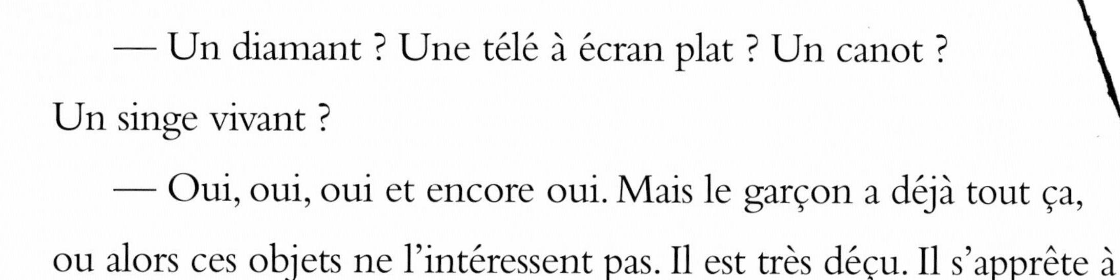

— Un diamant ? Une télé à écran plat ? Un canot ? Un singe vivant ?

— Oui, oui, oui et encore oui. Mais le garçon a déjà tout ça, ou alors ces objets ne l'intéressent pas. Il est très déçu. Il s'apprête à refermer la porte de son manoir quand il aperçoit…

Léo regarde dans le chapeau.

— Un garçon, dit-il. Un garçon qui arrive à la porte en courant.

— Exactement, dit M. Zinger.

— Est-ce que le garçon qui arrive en courant a un nom ? demande Léo.

— Mais oui ! Tout le monde a un nom, pas vrai ? Sauf que je n'arrive pas à le déchiffrer. Peut-être que toi, tu en es capable.

C'est sombre à l'intérieur du chapeau. Léo tend l'oreille et écoute.

— Léo, dit-il. Ce garçon-là s'appelle Léo.

— C'est un nom qui en vaut d'autres, dit M. Zinger. Léo, donc, arrive à la porte tout essoufflé. Le garçon riche lui dit : « Qu'est-ce que tu as que tous les autres n'ont pas ? » Et Léo lui montre quelque chose.

— Qu'est-ce que c'est ? Qu'est-ce qu'il lui montre ? veut savoir Léo.

— À toi de me le dire, répond M. Zinger.

— Mais je n'en sais rien, dit Léo.

— Tu n'en sais rien ? Es-tu bien sûr de ça ? Tu savais que l'histoire parlait d'un garçon et pas d'un homme. Tu savais qu'il était riche et pas pauvre. Tu savais qu'il ne voulait rien savoir d'une montre en or. Tu connaissais même le nom de l'enfant qui arrivait en courant. Alors tu sais peut-être aussi ce que ce Léo-là montre au garçon. Alors ? C'est quoi, au juste ?

Léo réfléchit. Il ferme les yeux et pense très fort. Il finit par rouvrir les yeux.

— Un ballon, dit-il.

— Un ballon ? dit M. Zinger. Un ballon ordinaire . . . comme le tien ?

— Oui, dit Léo.

— Très bien, alors, dit M. Zinger. Donc, Léo montre au garçon riche un ballon ordinaire, et il lui demande : « Aimerais-tu jouer au ballon avec moi ? »

— Je sais ce que le garçon va répondre, dit Léo. Il va dire oui.

— Ils jouent ensemble tout l'après-midi, puis ils recommencent le lendemain et deviennent les deux meilleurs amis du monde, dit M. Zinger.

— Et Léo ne veut même pas avoir la moitié des richesses du garçon, dit Léo. Il donne tout.

— Hum, c'est tout un garçon, ce Léo.

— Sauf la guitare électrique et le singe. Ça, il les garde.

— Et c'est la fin ? demande M. Zinger.

— Oui, c'est la fin.

— J'aime bien cette histoire.

— Moi aussi, je l'aime.

M. Zinger se lève en poussant un grognement.

— Et maintenant, jeune homme, je dois retourner à mon bureau. J'ai une histoire à écrire.

— L’histoire de Léo et du garçon riche ?

M. Zinger remet son chapeau sur sa tête.

— Non, répond-il. Celle-là, ce n’est pas la mienne, c’est la tienne. Mais une autre histoire essaiera peut-être de sortir de mon chapeau. Ça ne s’arrête jamais, tu sais.

M. Zinger sourit, fait un petit salut et s’éloigne à pas lents.

Léo regarde son ballon.

Il le lance contre le mur et le rattrape. Il recommence une fois . . . puis une autre fois. Il le lance de nouveau, et le voilà qui monte très haut, frappe le mur et rebondit au-dessus de sa tête.

— Je l'ai ! dit une voix derrière lui.

Léo se retourne et aperçoit une fille. Elle a attrapé le ballon.

Elle s'avance vers lui.

— Tu veux jouer au ballon ? demande-t-elle.

Ils se lancent le ballon pendant un long moment. Puis ils jouent au chat et à la souris, et plus tard à cache-cache. À la fin, ils sont trop fatigués pour jouer à quoi que ce soit et ils s'assoient sur le banc.

— C’est quoi, ton nom ? demande Léo.

— Sophie.

— Moi, c’est Léo.

— Tu veux un morceau de mon chocolat ? demande Sophie en sortant une tablette de sa poche.

— Bien sûr.

Ils partagent le chocolat, assis sur le banc. Léo retire sa casquette de base-ball.

— J'ai une histoire à l'intérieur de ma casquette, dit-il.

— J'aime les histoires.

— Il était une fois un garçon.

Sophie regarde dans la casquette.

— Est-ce que ça peut être une fille ? demande-t-elle.

— D'accord. Une fille. Elle était riche comme une reine, mais elle n'était pas très heureuse. Sais-tu pourquoi ?

— Parce que sa mère et son père avaient été capturés par un ogre ?

— Exactement ! dit Léo.

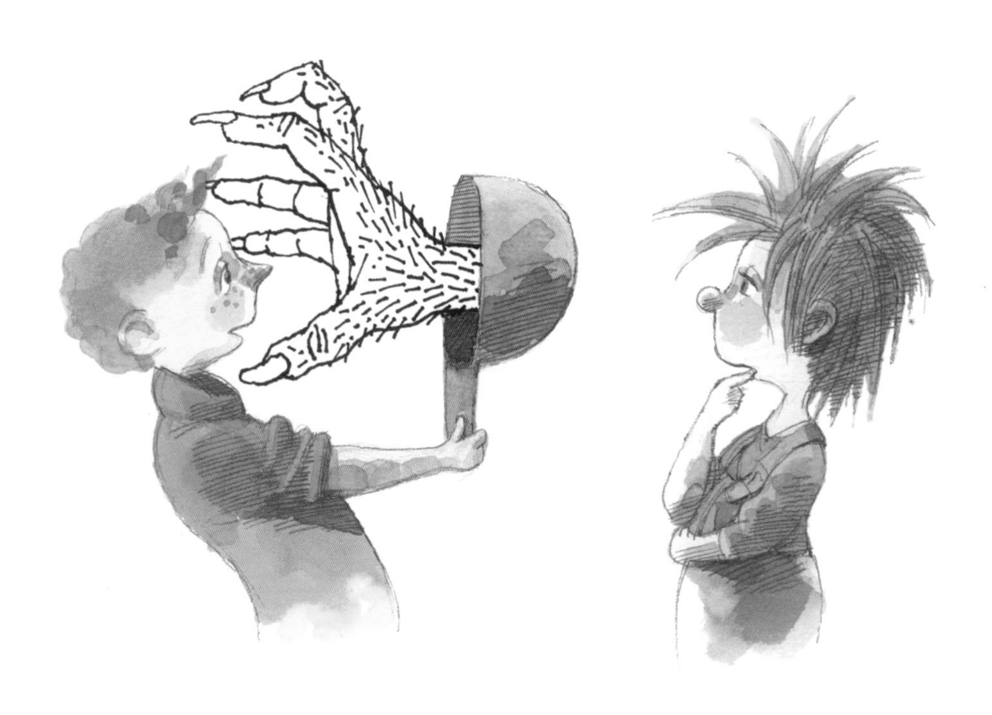

Parmi les livres pour enfants de **CARY FAGAN**, mentionnons les populaires romans mettant en vedette Kaspar Snit, la série en deux volumes intitulée *Master Melville's Medicine Show*, ainsi que les albums *Thing-Thing*, *Ella May and the Wishing Stone*, et *I Wish I Could Draw. Le chapeau de M. Zinger* (dans sa version originale anglaise) a mérité le Marilyn Baillie Picture Book Award, ainsi que le IODE Jean Throop Book Award. L'auteur a récemment gagné le Vicky Metcalf Award for Literature for Young People pour l'ensemble de son œuvre. Ses livres sont traduits en neuf langues, dont *Mes grands frères et moi*, traduction française de *Book of Big Brothers*. Cary a également signé six romans et trois recueils de nouvelles pour adultes. Il est né et a grandi à Toronto, où il vit toujours avec sa famille.

Né à Belgrade en Yougoslavie, **DUŠAN PETRIČIĆ** est diplômé de la faculté des Arts appliqués et du Design de l'Université de Belgrade. Ses illustrations et ses bandes dessinées à caractère politique paraissent régulièrement dans des journaux et des magazines importants d'Europe et d'Amérique du Nord. À titre de coauteur, et également comme illustrateur, il a créé plus de quarante livres pour enfants et il est récipiendaire de nombreuses récompenses internationales de prestige. Dušan a écrit et illustré *My Family Tree and Me* (traduit en français sous le titre *Ma grande famille*), il a illustré *Mud Puddle (Flaque de bouillasse)*, *The Man with the Violin (L'homme au violon)*, qui a remporté le Prix TD de littérature canadienne pour l'enfance et la jeunesse, *Mattland*, ouvrage pour lequel l'Association canadienne des bibliothèques lui a remis le Amelia Frances Howard-Gibbon Illustrator's Award et, plus récemment, *InvisiBill*. Tout en poursuivant sa propre carrière en tant qu'artiste, il a trouvé du temps pour enseigner aux étudiants inscrits en illustration et en animation. Dušan Petričić vit à Toronto.

LIVRES CANADIENS POUR ENFANTS ET ADOLESCENTS, PRIMÉS EN 2014-2015

L'autobus
Texte et illustrations : Marianne Dubuc
Comme des géants, Montréal (Québec), 2014.
3 ans+
Prix des libraires du Québec - Catégorie 0-5 ans

Les combats de Ti-Cœur
Texte : Marylène Monette
Illustrations : Marion Arbona
Fonfon, Montréal (Québec), 2013.
3 ans+
Prix littéraires des enseignants AQPF-ANEL - Catégorie Album 5-8 ans

Comme un coup de tonnerre
Texte : Claudie Stanké
Les Éditions de la Bagnole, Montréal (Québec), 2013.
9 ans+
Prix littéraires des enseignants AQPF-ANEL - Catégorie roman 9-12 ans

Les deux amoureux
Texte : Gilles Tibo
Illustrations : Oussama Mezher
Soulières éditeur, Saint-Lambert (Québec), 2014.
8 ans+
Prix illustration jeunesse - Salon du livre de Trois-Rivières 2015 - Catégorie Petit roman illustré

Edgar Paillettes
Texte : Simon Boulerice
Les Éditions Québec Amérique, Montréal (Québec), 2014.
9 ans+
Prix des libraires du Québec - Catégorie 6-11 ans

Eux
Texte : Patrick Isabelle
Leméac Éditeur, Montréal (Québec), 2014.
13 ans+
Prix des libraires du Québec - Catégorie 12-17 ans

Galoche, héros malgré lui !
Texte : Yvon Brochu
Les Éditions FouLire, Québec (Québec), 2014.
9 ans+
Prix littéraires Bibliothèque de Québec - Salon international du livre de Québec 2015

Gustave
Texte : Rémy Simard
Illustrations : Pierre Pratt
Les Éditions de la Pastèque, Montréal (Québec), 2013.
3 ans+
Sélection White Ravens 2014

Le jardin d'Amsterdam
Texte : Linda Amyot
Leméac Éditeur, Montréal (Québec), 2013.
12 ans+
Prix littéraires du Gouverneur général 2014 - Catégorie Littérature jeunesse - texte

Jeanne Moreau a le sourire à l'envers
Texte : Simon Boulerice
Leméac Éditeur, Montréal (Québec), 2013.
13 ans+
Sélection White Ravens 2014

Le lion et l'oiseau
Texte et illustrations : Marianne Dubuc
Les Éditions de la Pastèque, Montréal (Québec), 2013.
3 ans+
Prix Alvine-Belisle 2014
Prix littéraires du Gouverneur général 2014 - Catégorie Littérature jeunesse - illustrations

Maria Chapdelaine
Texte : Louis Hémon
Adaptation : Jennifer Tremblay
Illustrations : Francesc Rovira
Soulières éditeur/Les Éditions de la Bagnole, Saint-Lambert (Québec), 2013.
10 ans+
Sélection White Ravens 2014

Mille écus d'or
Texte : Hervé Gagnon
Les Éditions Hurtubise, Montréal (Québec), 2013.
12 ans+
Prix littéraires du Salon du livre du Saguenay-Lac-Saint-Jean 2014 - Catégorie jeunesse

La mouche
Texte et illustrations : Élise Gravel
Les Éditions de la coute échelle, Montréal (Québec), 2012.
5 ans+
Prix littéraires Hackmatack - Catégorie documentaire français

Monsieur Tralalère
Texte : Nathalie Ferraris
Illustrations : Josée Bisaillon
Les Éditions de la Bagnole, Montréal (Québec), 2014.
3 ans+
Grand prix du livre de la Montérégie 2015 - Catégorie fiction jeunesse primaire
Prix illustration jeunesse - Salon du livre de Trois-Rivières 2015 - Catégorie Album

L'orangeraie
Texte : Larry Tremblay
Les Éditions Alto, Québec (Québec), 2013.
13 ans+
Prix littéraires des enseignants AQPF-ANEL - Catégorie roman 13 ans et plus

Les orphelins, Rémi et Luc-John
Texte : Jean-Baptiste Renaud
Les Éditions David, Ottawa (Ontario), 2014.
13 ans+
Prix littéraires Le Droit 2015

La plus grosse poutine du monde
Texte : Andrée Poulin
Bayard Canada, Montréal (Québec), 2013.
10 ans+
Prix TD de littérature canadienne pour l'enfance et la jeunesse 2014

La princesse Beau Dodo
Texte : Nadine Bismuth
Illustrations : Annie Carbonneau
Les Éditions de la Bagnole, Montréal (Québec), 2014.
4 ans+
Prix illustration jeunesse - Salon du livre de Trois-Rivières 2015 - Catégorie Relève

Le secret des dragons
Texte : Dominique Demers
Illustrations : Sophie Lussier
Dominique et compagnie, Saint-Lambert (Québec), 2012.
9 ans+
Prix littéraires Hackmatack - Catégorie roman français

Les tranches de vie de Félix (Tome 1) :
Un automne de blé entier
Texte : Annie Dubreuil
Les Éditions Vents d'Ouest, Gatineau (Québec), 2014.
9 ans+
Prix Cécile-Gagnon 2014

Un gouffre sous mon lit
Texte : Pierre Labrie
Soulières éditeur, Saint-Lambert (Québec), 2014.
13 ans+
Grand prix du livre de la Montérégie 2015 - Catégorie jeunesse secondaire

Une fille à l'école des gars
Texte : Maryse Peyskens
Dominique et compagnie, Saint-Lambert (Québec), 2013.
10 ans+
Prix Tamarac 2014